au menu

Tout sur les produits céréaliers

Vic Parker

Texte français d'Ann Lamontagne

Éditions
SCHOLASTIC

Édition publiée par les Éditions Scholastic, 604, rue King Ouest, Toronto (Ontario) M5V 1E1.

5 4 3 2 1   Imprimé en Chine   CP141   10 11 12 13 14

Catalogage avant publication de Bibliothèque et Archives Canada

Parker, Victoria

Tout sur les produits céréaliers /
Vic Parker ; texte français d'Ann Lamontagne.

(Au menu)
Traduction de: All about cereal.
Pour les 6-9 ans.
ISBN 978-1-4431-0114-1

1. Céréales (Aliment)--Ouvrages pour la jeunesse.
I. Lamontagne, Ann II. Titre. III. Collection: Au menu

TX393.P3714 2010   j641.3'31   C2009-904931-7

Auteure : Vic Parker
Conceptrice graphique : Kim Hall
Illustrateur : Mike Byrne
Directrice artistique : Zeta Davies

Références photographiques :

Légende : h = haut; b = bas; g = gauche;
d = droite; c = centre;
PC = page de couverture

Alamy 8h Keith Leighton

Corbis 19h Scott Sinklier

Dreamstime 19bd Andy St John

Getty Images 19bg Stone/PBJ Pictures, 13b Dorling Kindersley

Photolibrary 13h Age Fotostock/Frank Lukasseck

Shutterstock 4hg Tomo Jesenicnik, 4hc Jim Parkin, 4hd PetrP, 4bg PetrP, 4bd Anbk, 5 Alessio Ponti, 6g Jim Parkin, 6d Microgen, 6–7 Martine Oger, 7hd PetrP, 7hd Tomo Jesenicnik, 7cd PetrP, 7bg Fotohunter, 7bd Anbk, 8bg V J Matthew, 8bc Gelpi, 8bd Joe Gough, 9h Matka Wariatka, 9cg Russ Witherington, 9cg Denise Kappa, 9cd Richard Griffin, 9cd Viktor1, 9bg Ukrphoto, 9bd Fanfo, 10 Thomas M Perkins, 11g Robert Milek, 11d Konstantin Remizov, 12hg Anbk, 12cg Stanislav Komogorov, 12bg Mosista Pambudi, 12d Mosista Pambudi, 13c Digital Shuts, 14hg Tomo Jesenicnik, 14cg Bruce Works, 14bg Orientaly, 14d Alexander Briel Perez, 15h Sarah Johnson, 15c Dusan Po, 15bg Ints Vikmanis, 15bd Rozaliya, 18hg Jim Parkin, 18cg David Hughes, 18bg N. Mitchell, 18d Noam Armonn, 19c Woudew, 21g Hallgerd, 21d Hallgerd

Les mots en **caractères gras** figurent dans le glossaire de la page 22.

Table des matières

Qu'est-ce qu'une céréale?

La céréale est la graine d'une plante.
La culture des céréales est la plus répandue au monde.

Il existe plusieurs sortes de céréales
dont l'orge, l'avoine, le blé, le maïs
et le riz.

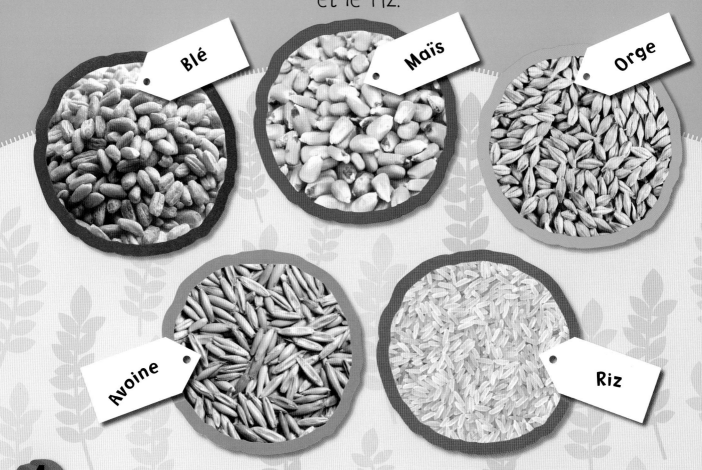

Blé

Maïs

Orge

Avoine

Riz

Fais pousser... du blé

1 Dépose des grains de blé dans le pot.

2 Couvre-les d'eau et place un morceau de tissu retenu par l'élastique sur le pot.

3 Mets le pot dans un endroit chaud. Deux fois par jour, rince et égoutte les graines.

4 Au bout de quelques jours, elles commenceront à germer.

Les plants céréaliers poussent à partir de graines. Ils croissent sous la forme de grandes herbes. Le blé est la céréale la plus cultivée au monde.

⇧ Un groupement de grains, appelé épi, pousse au bout de la tige du plant de céréale.

D'où viennent les céréales?

Les céréales viennent de différentes régions du monde.

Les céréales ont besoin de conditions précises pour pousser. Certaines poussent dans des régions très pluvieuses, d'autres préfèrent les sols relativement secs.

Amérique du Nord

Amérique du Sud

Le maïs pousse bien sous un climat chaud et dans un sol humide. Environ la moitié de la production mondiale de maïs provient des États-Unis.

Le quinoa pousse dans les montagnes péruviennes en Amérique du Sud.

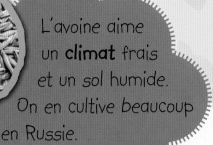

L'avoine aime un **climat** frais et un sol humide. On en cultive beaucoup en Russie.

La culture du blé, qui demande un climat tempéré et humide, est très répandue en Chine.

Europe

Asie

L'orge est cultivée dans les régions froides comme l'Europe de l'Est.

Afrique

Océanie

Le sorgho est une céréale des régions chaudes et sèches telles que l'Afrique.

Le riz a besoin d'un climat chaud et de beaucoup de pluie. Sa culture est surtout concentrée en Asie.

7

Manger des céréales

Tu peux manger des céréales sous différentes formes selon le moment de la journée.

Au dîner, mange du couscous avec des poivrons rouges.

Au souper, pourquoi ne pas savourer du riz au poulet et au cari?

Au déjeuner, tu peux prendre un bol de céréales.

Il te faut

- 50 g de germes de blé
- 150 ml de jus de pomme
- 2 bananes
- 500 g de petits fruits congelés
- un mélangeur
- des verres

Prépare un lait frappé... aux germes de blé

1 Mets tous les ingrédients dans le mélangeur.

2 Mélange-les pendant deux minutes.

3 Verse le mélange dans des verres; c'est prêt!

Pâtisserie

Biscuit

Pain

Pâtes

Beigne

Pizza

Nous mangeons beaucoup d'aliments faits avec de la farine de blé comme le pain, les pâtes alimentaires, les pâtisseries et les biscuits, mais ils peuvent aussi être faits avec de la farine de riz ou de maïs.

9

Les céréales et la santé

Les céréales sont des glucides. **Elles fournissent de l'énergie à ton corps et devraient composer le tiers de ton alimentation.**

Plusieurs céréales, dont le maïs, contiennent les **protéines** nécessaires à ta croissance.

Le pain fait de blé fournit de la vitamine B dont ton corps a besoin pour rester en santé.

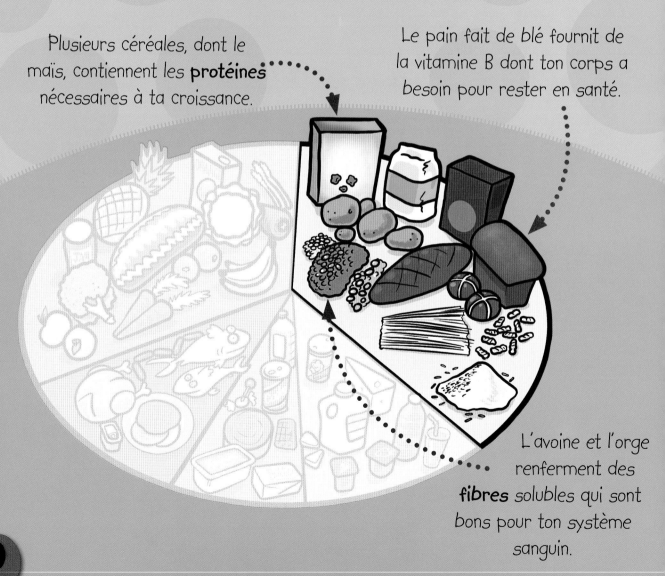

L'avoine et l'orge renferment des **fibres** solubles qui sont bons pour ton système sanguin.

La graine de céréale se divise en trois parties.

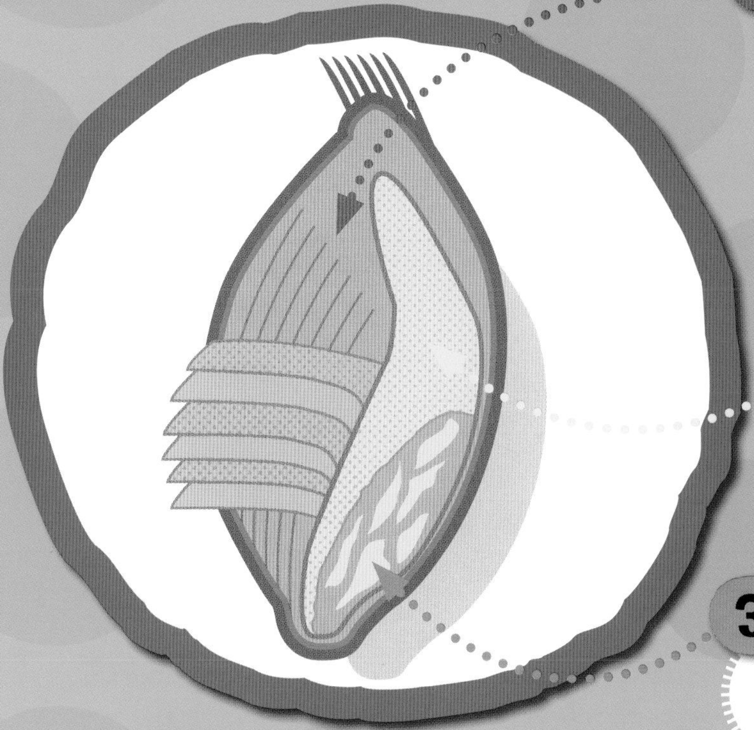

1 La couche extérieure, le son, est faite de fibres.

2 À l'intérieur se trouve l'endosperme ou amande, riche en glucides.

3 Et dans l'amande se trouve le germe qui est une source de protéines.

Le savais-tu?

Pour faire certains aliments comme le pain blanc, on utilise seulement l'endosperme. Pour faire du pain brun, on utilise la graine entière.

Pain brun

Pain blanc

Riz

La culture du riz

En Asie, la plupart des agriculteurs sèment le riz dans des carrés de terre appelés lits de semis.

1 Au printemps, quand les semis sont prêts, les agriculteurs les plantent dans les champs.

Ces champs, appelés rizières, sont de grandes étendues naturellement humides ou inondées. La **culture** du riz demande beaucoup d'eau.

2

3 Les plants poussent pendant 3 à 5 mois. La **récolte** a lieu vers la fin de l'automne.

12

4 Certains agriculteurs coupent les tiges des plants et en font des ballots qu'ils laissent sécher au soleil.

Pour récolter les grains, on peut battre les tiges avec du bambou ou utiliser des machines.

5

Il te faut

- 100 g de riz soufflé
- 100 g de sirop de maïs
- 60 g de chocolat noir
- 75 g de beurre
- une casserole
- un moule peu profond graissé
- une cuillère en bois

Prépare... un dessert au riz soufflé

1 Mets le sirop de maïs, le chocolat et le beurre dans la casserole. Demande à un adulte de faire chauffer les ingrédients jusqu'à ce que le chocolat ait fondu.

2 Retire la casserole de la cuisinière et ajoute le riz soufflé.

3 Remue jusqu'à ce que le riz soit bien incorporé au mélange.

4 Verse la préparation dans un moule graissé et laisse-la refroidir avant de la faire durcir au réfrigérateur.

Blé

La culture du blé

Le blé demande beaucoup de pluie. On le sème vers la fin de l'automne.

1 Pendant l'hiver, le blé pousse lentement; on dirait de l'herbe.

Puis au printemps, sa croissance s'accélère.

2

3 Pendant l'été, les agriculteurs utilisent des moissonneuses-batteuses qui retirent les épis des tiges et séparent les grains des épis.

4 Les grains sont ensuite transformés en céréales pour le déjeuner et en farine.

Les tiges de blé coupées sèchent : c'est de la paille. On la rassemble en ballots.

5

6 On se sert de cette paille comme nourriture et comme litière pour les animaux.

Le savais-tu?

La Saskatchewan produit plus de la moitié du blé canadien.

Fais du pain

Une grande partie de la farine de blé est transformée en pain. Voici une recette de pain simple et facile.

Il te faut

- 125 g de farine de blé entier tout usage
- 100 g de farine tout usage
- 1 c. à café de sel
- 1 c. à café de sucre
- 1 c. à soupe de margarine
- 1 sachet (6 g) de levure en poudre facile à mélanger
- 150 ml d'eau chaude
- un bol à mélanger
- une cuillère en bois
- un moule à biscuits graissé
- un morceau de cellophane huilé ou graissé

Mélange la farine, le sucre, le sel et la margarine dans le bol à mélanger.

Ajoute la levure et l'eau et mélange bien. Fais une boule de pâte avec les mains.

3 Presse et étire la pâte pendant environ 10 minutes, jusqu'à ce qu'elle devienne molle et lisse. C'est ce qu'on appelle pétrir.

Mets la pâte dans le moule, couvre-la de cellophane et dépose le moule dans un endroit chaud à l'abri des courants d'air.

4

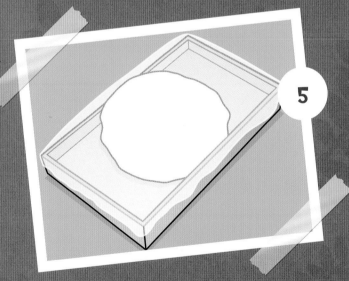

5

Laisse la pâte reposer 30 minutes; elle doublera de volume. Demande à un adulte de régler le four à 230 °C/450 °F.

Retire la cellophane et demande à un adulte de mettre le pain au four. Il faut environ 25 minutes pour que le pain soit cuit et doré.

6

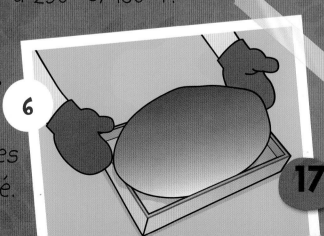

Maïs

La culture du maïs

Le maïs sucré est l'une des nombreuses variétés de maïs cultivées dans le monde.

1 Les agriculteurs sèment les grains de maïs sucré au printemps.

Les pousses se développent rapidement en de grandes tiges. Puis des épis apparaissent sur ces tiges.

2

3 De longs fils soyeux, qui deviendront bruns, poussent au sommet des épis.

4 Il faut environ deux mois et demi aux épis pour mûrir.

Au moment de la récolte, une machine appelée moissonneuse-batteuse coupe les épis et sépare les grains.

5

6 Une partie du maïs sucré est envoyée en usine pour être mise en conserve ou congelée. Mais les épis de maïs sucrés sont aussi vendus frais.

Goûte à... un maïs miniature

Les maïs miniatures sont délicieux nature, dans une salade, ou cuits, dans un sauté de légumes.

Fais du riz frit aux légumes

Demande à un adulte

Avant de réunir ustensiles et ingrédients pour cuisiner, demande toujours à un adulte de t'aider. Et n'oublie pas de te laver les mains avant de commencer.

Tu veux préparer un plat sain et savoureux? Essaie celui-ci.

Il te faut

- 4 c. à soupe de riz
- 2 c. à soupe d'huile végétale
- 1 poivron rouge haché
- 10 épis de maïs miniatures
- 6 champignons hachés
- du sel et du poivre
- une casserole
- une poêle
- une passoire
- de l'eau

1

Mets le riz dans la passoire et rince-le quatre fois.

Demande à un adulte de couvrir le riz d'eau et de le faire cuire à feu doux pendant une dizaine de minutes.

2

3 Demande ensuite à l'adulte de t'aider à faire sauter les légumes dans la poêle avec un peu d'huile pendant 5 minutes.

Verse le riz cuit dans les légumes, ajoute du sel et du poivre, mélange le tout. Et voilà!

4

Le savais-tu?

On cultive plus de 40 000 sortes de riz dans le monde.

Riz sauvage

Riz basmati

Glossaire

Climat
État habituel du temps dans une région.

Culture
Plante que l'on fait pousser en grande quantité pour l'usage et l'alimentation des hommes et des animaux.

Fibres
Filaments qui se trouvent dans les plantes et que le corps ne peut transformer. Une fois ingérées, les fibres s'imbibent d'eau et facilitent l'évacuation des déchets.

Glucides
Sucre ou amidon contenu dans les aliments et qui fournit de l'énergie à notre corps.

Graines (ou grains)
Petits fruits secs d'un plant de céréales.

Mousseline
Tissu de coton léger, souple et transparent.

Protéine
Substance contenue dans certains aliments et dont notre corps a besoin pour se développer et se régénérer.

Récolte
Action de cueillir ou de ramasser les produits de la terre.

Notes aux parents et aux enseignants

- Présentez plusieurs aliments aux enfants, parlez-leur de ceux qui sont faits avec des céréales et des variétés de céréales utilisées.

- Utilisez Internet ou un atlas pour trouver dans quelles régions du monde et sous quels climats les différentes céréales sont cultivées. Avec les enfants, situez les pays qui produisent ces céréales sur une carte géographique ou un globe terrestre.

- Cherchez des photographies de céréales à différents stades de leur développement. Choisissez-en une que les enfants pourront dessiner et identifiez chaque partie de la plante (racines, tige, branches, feuilles et fruits). Expliquez aux enfants pourquoi notre corps a besoin de céréales et quelle quantité on devrait consommer chaque jour.

- Expliquez aux enfants la différence entre les céréales à grains entiers et les céréales raffinées, et pourquoi les céréales à grains entiers sont meilleures pour la santé. Faites un tableau qui montre comment faire des choix plus nutritifs, par exemple en privilégiant les sandwiches au pain de blé entier.

- Montrez-leur comment intégrer les céréales aux mets cuisinés. Proposez-leur de créer un livre de recettes faciles à réaliser, à base de céréales du monde entier, illustré de photographies.

Index